JANUARY

01	02	03	04	05	06	07
08	09	10	11	12	13	14
15	16	17	18	19	20	21
22	23	24	25	26	27	28
29	30	31				

APRIL

01	02	03	04	05	06	07
08	09	10	11	12	13	14
15	16	17	18	19	20	21
22	23	24	25	26	27	28
29	30					

JULY

01	02	03	04	05	06	07
08	09	10	11	12	13	14
15	16	17	18	19	20	21
22	23	24	25	26	27	28
29	30	31				

OCTOBER

01	02	03	04	05	06	07
08	09	10	11	12	13	14
15	16	17	18	19	20	21
22	23	24	25	26	27	28
29	30	31				

FEBRUARY

01	02	03	04	05	06	07
08	09	10	11	12	13	14
15	16	17	18	19	20	21
22	23	24	25	26	27	28
29						

MARCH

01	02	03	04	05	06	07
08	09	10	11	12	13	14
15	16	17	18	19	20	21
22	23	24	25	26	27	28
29	30	31				

MAY

01	02	03	04	05	06	07
08	09	10	11	12	13	14
15	16	17	18	19	20	21
22	23	24	25	26	27	28
29	30	31				

JUNE

01	02	03	04	05	06	07
08	09	10	11	12	13	14
15	16	17	18	19	20	21
22	23	24	25	26	27	28
29	30					

AUGUST

01	02	03	04	05	06	07
08	09	10	11	12	13	14
15	16	17	18	19	20	21
22	23	24	25	26	27	28
29	30	31				

SEPTEMBER

01	02	03	04	05	06	07
08	09	10	11	12	13	14
15	16	17	18	19	20	21
22	23	24	25	26	27	28
29	30					

NOVEMBER

01	02	03	04	05	06	07
08	09	10	11	12	13	14
15	16	17	18	19	20	21
22	23	24	25	26	27	28
29	30					

DECEMBER

01	02	03	04	05	06	07
08	09	10	11	12	13	14
15	16	17	18	19	20	21
22	23	24	25	26	27	28
29	30	31				

JANUARY
04

JANUARY
01

JANUARY
05

JANUARY
02

JANUARY
06

JANUARY
03

JANUARY
07

JANUARY
08

JANUARY
12

JANUARY
09

JANUARY
13

JANUARY
10

JANUARY
14

JANUARY
18

JANUARY
19

JANUARY
20

JANUARY
21

25

22

26

23

27

24

28

FEBRUARY
01

JANUARY
29

FEBRUARY
02

JANUARY
30

FEBRUARY
03

JANUARY
31

FEBRUARY
04

FEBRUARY

05

FEBRUARY

06

FEBRUARY

07

FEBRUARY
08

FEBRUARY
09

FEBRUARY
10

FEBRUARY
11

FEBRUARY
12

FEBRUARY
13

FEBRUARY
14

FEBRUARY
22

FEBRUARY
19

FEBRUARY
23

FEBRUARY
20

FEBRUARY
24

FEBRUARY
21

FEBRUARY
25

FEBRUARY
26

FEBRUARY
27

FEBRUARY
28

FEBRUARY
29

MARCH
01

MARCH
02

MARCH
03

MARCH
07

MARCH
08

MARCH
09

MARCH
10

MARCH 17

MARCH 16

MARCH 15

MARCH 14

MARCH 13

MARCH 12

MARCH 11

MARCH
24

MARCH
23

MARCH
22

MARCH
21

MARCH
20

MARCH
19

MARCH
18

MARCH
31

MARCH
30

MARCH
29

MARCH
28

MARCH
27

MARCH
26

MARCH
25

APRIL
07

APRIL
06

APRIL
05

APRIL
04

APRIL
03

APRIL
02

APRIL
01

APRIL
08

APRIL
09

APRIL
10

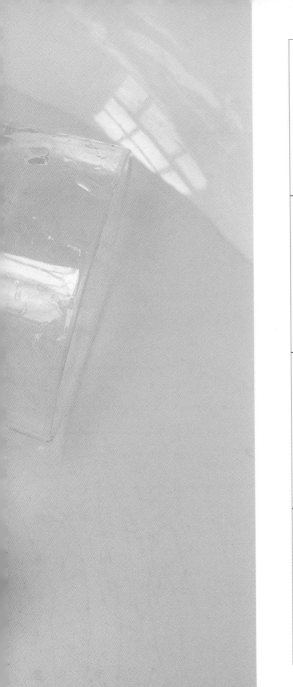

APRIL

11

APRIL

12

APRIL

13

APRIL

14

APRIL
18

APRIL
15

APRIL
19

APRIL
16

APRIL
20

APRIL
17

APRIL
21

APRIL
25

APRIL
22

APRIL
26

APRIL
23

APRIL
27

APRIL
24

APRIL
28

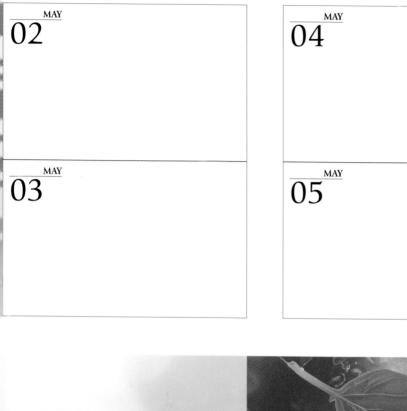

$$\overline{06}^{\text{MAY}}$$

$$\overline{07}^{\text{MAY}}$$

$$\overline{08}^{\text{MAY}}$$

MAY
09

MAY
10

MAY
11

MAY
12

^{MAY}
13

^{MAY}
14

^{MAY}
15

MAY
16

MAY
17

MAY
18

MAY
19

MAY
21

MAY
20

MAY
22

<u></u> MAY
23

<u></u> MAY
25

<u></u> MAY
24

<u></u> MAY
26

$\overline{27}^{\text{MAY}}$

$\overline{28}^{\text{MAY}}$

$\overline{29}^{\text{MAY}}$

30 ^MAY

31 ^MAY

01 ^JUNE

02 ^JUNE

JUNE
06

JUNE
03

JUNE
07

JUNE
04

JUNE
08

JUNE
05

JUNE
09

JUNE
13

JUNE
10

JUNE
14

JUNE
11

JUNE
15

JUNE
12

JUNE
16

JUNE
17

JUNE
18

JUNE
19

JUNE
20

JUNE
21

JUNE
22

JUNE
23

JUNE
27

JUNE
24

JUNE
28

JUNE
25

JUNE
29

JUNE
26

JUNE
30

JULY
04

JULY
01

JULY
05

JULY
02

JULY
06

JULY
03

JULY
07

JULY
11

JULY
08

JULY
12

JULY
09

JULY
13

JULY
10

JULY
14

JULY
18

JULY
15

JULY
19

JULY
16

JULY
20

JULY
17

JULY
21

JULY
25

JULY
22

JULY
26

JULY
23

JULY
27

JULY
24

JULY
28

JULY
29

JULY
30

JULY
31

AUGUST
01

AUGUST
02

AUGUST
03

AUGUST
04

AUGUST
12

AUGUST
13

AUGUST
14

AUGUST
15

AUGUST
16

AUGUST
17

AUGUST
18

AUGUST
22

AUGUST
19

AUGUST
23

AUGUST
20

AUGUST
24

AUGUST
21

AUGUST
25

AUGUST
29

AUGUST
26

AUGUST
30

AUGUST
27

AUGUST
31

AUGUST
28

SEPTEMBER
01

SEPTEMBER
02

SEPTEMBER
03

SEPTEMBER
04

SEPTEMBER
05

SEPTEMBER
06

SEPTEMBER
07

SEPTEMBER
08

SEPTEMBER

12

SEPTEMBER

09

SEPTEMBER

13

SEPTEMBER

10

SEPTEMBER

14

SEPTEMBER

11

SEPTEMBER

15

SEPTEMBER
16

SEPTEMBER
17

SEPTEMBER
18

SEPTEMBER
19

SEPTEMBER
20

SEPTEMBER
21

SEPTEMBER
22

SEPTEMBER
26

SEPTEMBER
23

SEPTEMBER
27

SEPTEMBER
24

SEPTEMBER
28

SEPTEMBER
25

SEPTEMBER
29

OCTOBER
03

SEPTEMBER
30

OCTOBER
01

OCTOBER
02

OCTOBER
04

OCTOBER
05

OCTOBER
06

OCTOBER
07

OCTOBER
08

OCTOBER
09

OCTOBER
10

OCTOBER
11

OCTOBER
12

OCTOBER
13

OCTOBER
17

OCTOBER
14

OCTOBER
18

OCTOBER
15

OCTOBER
19

OCTOBER
16

OCTOBER
20

OCTOBER
24

OCTOBER
21

OCTOBER
25

OCTOBER
22

OCTOBER
26

OCTOBER
23

OCTOBER
27

OCTOBER
31

OCTOBER
28

NOVEMBER
01

OCTOBER
29

NOVEMBER
02

OCTOBER
30

NOVEMBER
03

NOVEMBER
07

NOVEMBER
04

NOVEMBER
08

NOVEMBER
05

NOVEMBER
09

NOVEMBER
06

NOVEMBER
10

NOVEMBER
14

NOVEMBER
11

NOVEMBER
15

NOVEMBER
12

NOVEMBER
16

NOVEMBER
13

NOVEMBER
17

NOVEMBER
21

NOVEMBER
22

NOVEMBER
23

NOVEMBER
24

NOVEMBER
25

NOVEMBER
26

NOVEMBER
27

28

29

30

01

DECEMBER
05

DECEMBER
02

DECEMBER
06

DECEMBER
03

DECEMBER
07

DECEMBER
04

DECEMBER
08

DECEMBER
16

DECEMBER
17

DECEMBER
18

DECEMBER

19

DECEMBER

20

DECEMBER

21

DECEMBER

22

DECEMBER
26

DECEMBER
23

DECEMBER
27

DECEMBER
24

DECEMBER
28

DECEMBER
25

DECEMBER
29

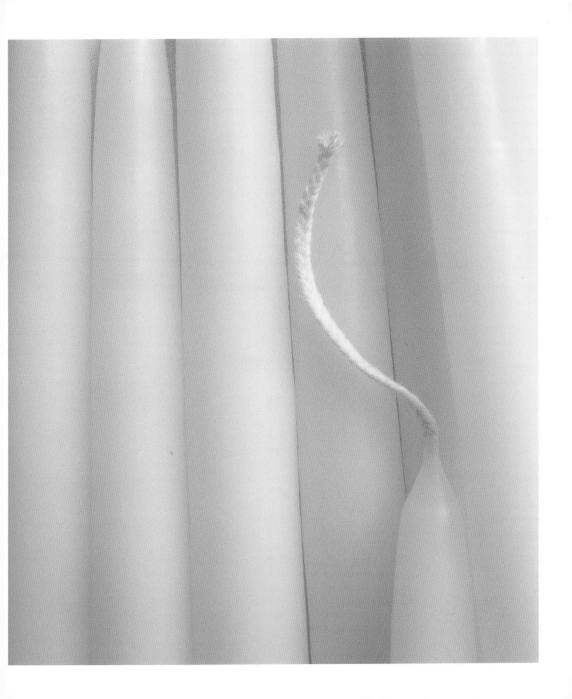

All images taken from *Pure Style* by Jane Cumberbatch,
published by Ryland Peters & Small
Cavendish House, 51-55 Mortimer Street, London W1N 7TD

Photography by Henry Bourne
Copyright © Ryland Peters & Small 1996

paperstyle

DECEMBER
30

DECEMBER
31

JANUARY
01